UNA NIÑA
UN TAMBOR
UN SUEÑO

UNA NIÑA
UN TAMBOR
UN SUEÑO

Cómo la valentía de una niña cambió la música

poema de
Margarita Engle

ilustraciones de
Rafael López

SCHOLASTIC INC.

En una isla musical
en una ciudad de ritmos
la niña de los tambores
soñaba

que tocaba las tumbadoras

y hacía sonar los bongós

y repiqueteaba

con largas y sonoras baquetas

los grandes timbales

redondos y plateados como la luna.

Pero todos
en esta isla musical
en la ciudad de ritmos
pensaban que solo los varones
podían tocar los tambores

así que la niña soñadora

tenía que seguir soñando

sueños

rítmicos

silenciosos

y secretos.

En cafés al aire libre que parecían jardines
oía tambores tocados por hombres
pero cuando cerraba los ojos
también oía
su propia música
imaginaria.

Cuando caminaba bajo
palmeras ondeantes
en un parque florido
oía el batir de las alas de los loros
el picoteo de los pájaros carpinteros
su propio zapateo
y el tun tun tranquilizador
de los latidos
de su corazón.

En los carnavales
oía el traqueteo
de los enormes
bailarines
en zancos

y el estruendo de dragón
de los percusionistas disfrazados
y enmascarados.

En casa, sus dedos
inventaban su propio
ritmo soñoliento
en mesas y sillas...

y aunque todos

le recordaban que las niñas

de su isla musical

nunca habían tocado los tambores

la valiente niña soñadora
se atrevió a tocar
tumbadoras
y pequeños bongós
y grandes timbales
redondos y plateados.

Sus manos parecían volar

a medida que repicaban

y tocaban

todos los ritmos

de sus sueños de tambores.

Impresionó tanto a sus hermanas
mayores que ellas la invitaron a unirse
a su nueva orquesta solo de mujeres

pero su papá dijo que solo los varones
podían tocar los tambores.

Así que la niña soñadora
tuvo que seguir soñando
y tocando los tambores
sola

hasta que por fin un día

su papá dijo

que buscaría un maestro de música

que juzgara si su música

merecía

ser escuchada.

El maestro de la niña soñadora
quedó impresionado.
La niña sabía mucho
pero él le enseñó más
y más
y más

y ella practicó

y practicó

y practicó

hasta que el maestro decidió
que estaba lista
para tocar sus pequeños bongós
en el patio de un café bajo las estrellas
que parecía un jardín

y quienes allí oyeron

su música soñada y brillante

cantaron

y bailaron

y decidieron

que a las niñas debía

permitírseles tocar

los tambores

y que tanto las niñas

como los niños

tenían derecho a soñar

libremente.

Nota histórica

Este poema está inspirado en la infancia de una niña de origen chino y afrocubano que rompió el tabú que prohibía a las mujeres tocar tambores en Cuba. En 1932, con diez años de edad, Millo Castro Zaldarriaga tocó con sus hermanas mayores en la primera orquesta de mujeres, Anacaona. Millo se convirtió en una reconocida artista y tocó con muchos grandes de la era del jazz. A los quince años, tocó los bongós durante un cumpleaños del presidente Franklin Delano Roosevelt, y la primera dama, Eleanor Roosevelt, la ovacionó. Ahora hay muchas mujeres que tocan tambores en Cuba. Gracias a la valentía de Millo, tocar los tambores ya no es un sueño irrealizable para las jóvenes y mujeres de la isla.

Agradecimientos

Agradezco a Dios por los sueños creativos. Este libro no hubiera sido posible sin la maravillosa autobiografía escrita por la hermana de Millo, junto con Ingrid Kummels y Manfred Shäfer: *Queens of Havana: The Amazing Adventures of the Legendary Anacaona, Cuba's First All-Girl Dance Band* (Atlantic Books, Londres, 2002). Un agradecimiento especial a mi familia, mis editoras Reka Simonsen y Jeannette Larson, la diseñadora Elizabeth Tardiff y a todo el equipo editorial de HMH. —M.E.

Originally published in English as *Drum Dream Girl: How One Girl's Courage Changed Music*

Translated by J.P. Lombana

Text copyright © 2015 by Margarita Engle
Illustrations copyright © 2015 by Rafael López
Translation copyright © 2016 by Scholastic Inc.

ISBN 978-1-338-04826-1

10 9 8 7 6 5 4 3 2   16 17 18 19 20

Printed in the U.S.A.   40
First Scholastic Spanish printing 2016

The illustrations in this book were done in acrylic paint on wood board.
The text type was set in Amescote. • The display type was set in Cathodelic.

A mis nietos —M.E.

A mi madre arquitecta, Pillo,
cuya valentía abrió el techo que ocultaba sus sueños —R.L.

Margarita Engle es una poeta y novelista cubanoamericana cuyo trabajo ha sido publicado en muchos países. Sus libros premiados incluyen *Silver People: Voices from the Panama Canal; The Lightning Dreamer: Cuba's Greatest Abolitionist; The Wild Book;* y *The Surrender Tree: Poems of Cuba's Struggle for Freedom,* ganador del Newbery Honor. Margarita ha ganado varias veces el premio Américas y la medalla Pura Belpré, y vive en el norte de California. www.margaritaengle.com

Rafael López creció en la Ciudad de México, donde vivió inmerso en la rica herencia cultural y visual de la vida urbana. Sus vibrantes libros ilustrados incluyen *Tito Puente, Rey del Mambo* y *Mi nombre es Celia,* ambos escritos por Monica Brown, y *Book Fiesta!* de Pat Mora. Ha recibido los premios Pura Belpré y Américas múltiples veces. También es un reconocido muralista que ha diseñado proyectos de muralismo comunitario. Divide su tiempo entre San Miguel de Allende, México, y San Diego, California. www.rafaellopez.com